D0655673

Un chant de Noël

À tous les orphelins des Noëls passés, présents et futurs

**Catalogage avant publication de
la Bibliothèque nationale du Canada**

Papineau, Lucie
Un chant de Noël
D'après *A Christmas Carol* de Charles Dickens
Pour enfants.

ISBN 2-89512-318-7 (rel.)
ISBN 2-89512-319-5 (br.)

I. Poulin, Stéphane. II. Dickens, Charles,
1812-1870. Christmas Carol. III. Titre.

PS8581.A665C45 2004 jC843'.54 C2004-940053-3
PS9581.A665C45 2004

Directrice de collection : Lucie Papineau
Direction artistique et graphisme :
Primeau & Barey

Dépôt légal : 3e trimestre 2004
Bibliothèque nationale du Québec
Bibliothèque nationale du Canada

Dominique et compagnie
300, rue Arran, Saint-Lambert
(Québec) J4R 1K5
Téléphone : (514) 875-0327
Télécopieur : (450) 672-5448
Courriel : dominiqueetcie@editionsheritage.com
Site Internet : www.dominiqueetcompagnie.com

Imprimé en Chine
10 9 8 7 6 5 4 3 2 1

Nous remercions le Conseil des Arts du Canada de l'aide
accordée à notre programme de publication.

Nous reconnaissons l'aide financière du gouvernement
du Canada par l'entremise du Programme d'aide au
développement de l'industrie de l'édition (PADIÉ) pour
nos activités d'édition.

Nous reconnaissons l'aide financière du gouvernement du
Québec par l'entremise du Programme de crédit d'impôt
pour l'édition de livres – SODEC – et du Programme d'aide aux
entreprises du livre et de l'édition spécialisée.

Un chant de Noël

Texte : Lucie Papineau
(d'après le récit de Charles Dickens)
Illustrations : Stéphane Poulin

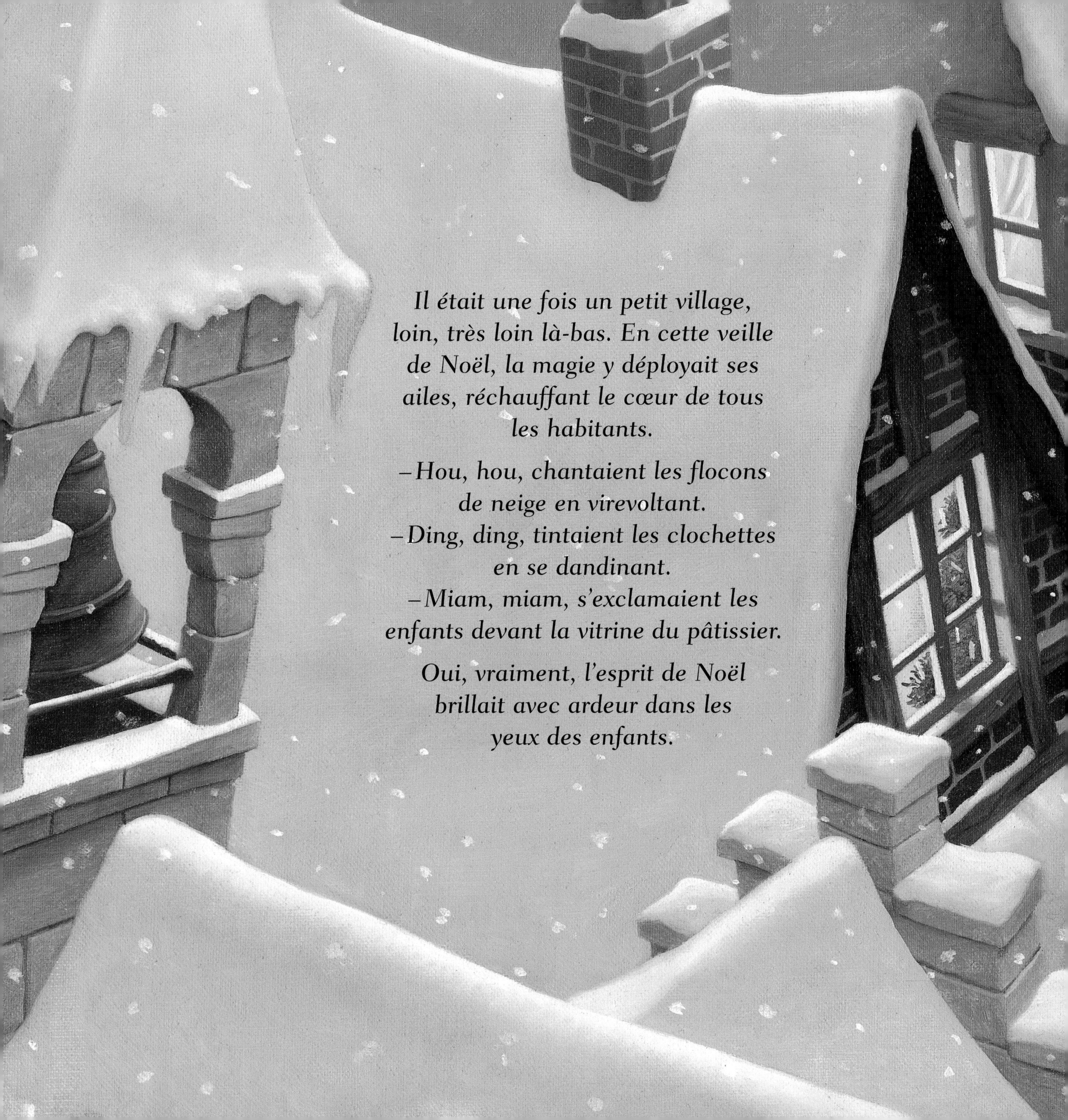

Il était une fois un petit village, loin, très loin là-bas. En cette veille de Noël, la magie y déployait ses ailes, réchauffant le cœur de tous les habitants.

–Hou, hou, chantaient les flocons de neige en virevoltant.
–Ding, ding, tintaient les clochettes en se dandinant.
–Miam, miam, s'exclamaient les enfants devant la vitrine du pâtissier.

Oui, vraiment, l'esprit de Noël brillait avec ardeur dans les yeux des enfants.

De tous les enfants ?

Au sommet de la colline, dans son immense manoir, le petit Boustru boudait. Le majordome, la femme de chambre et la cuisinière auraient bien voulu laisser entrer la magie de Noël... Mais leur jeune maître lui avait fermé sa porte.

Boustru n'aimait ni les chansons des enfants abandonnés, ni les étoiles des grands sapins, ni même l'odeur du pain d'épice.

Boustru détestait Noël.

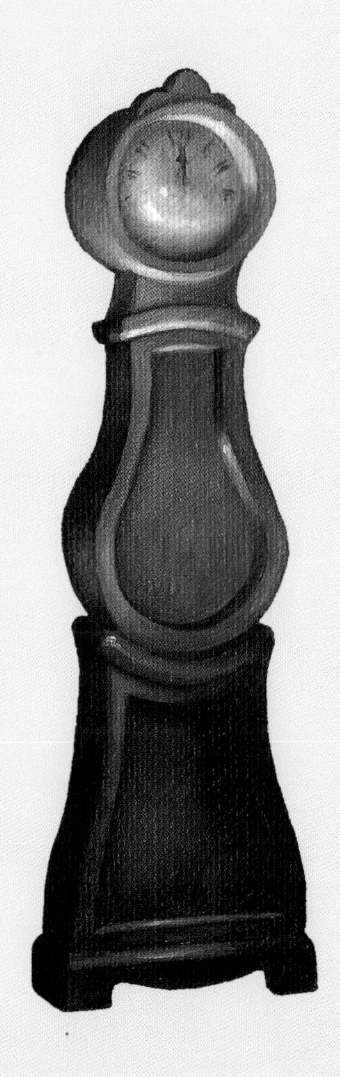

Seul dans sa chambre du grenier, Boustru comptait et recomptait ses jouets. Lorsqu'il fut certain qu'il n'en manquait aucun, il ferma son grand coffre et se mit au lit.

« Si je dors tout de suite, pensa-t-il, la nuit passera très vite. Encore une journée, et ce Noël de malheur sera chose du passé ! »

Le petit remonta ses couvertures, puis attendit le sommeil.

Les aiguilles de la grande horloge tournaient, tournaient. Pourtant, Boustru ne dormait toujours pas. La colère qui grondait dans son cœur l'empêchait de fermer les yeux.

Et… oh ! Que vit-il apparaître dans la lueur de la bougie ? Une souris vêtue, exactement comme lui, d'une chemise de nuit.

–Tu as fermé ta porte à la magie de Noël, lui dit-elle. Mais nous, les souris, lui avons ouvert la nôtre…

Juste à ce moment,
les douze coups de minuit
commencèrent à sonner :

– Dong, dong, dong !

Le cœur de Boustru, lui aussi, semblait faire dong ! dong ! dong ! alors qu'il se sentait devenir tout petit, aussi petit qu'une minuscule souris.

Sans un mot, le souriceau l'entraîna vers un trou caché au bas du mur, puis dans un étrange dédale de couloirs secrets. Tout au bout brillait une lumière douce comme le miel.

–Regarde bien, dit le souriceau. Voici la magie des Noëls passés.

Par l'ouverture du mur, Boustru vit un magnifique sapin briller de tous ses feux dans le salon du manoir. Le chant d'un violon montait dans l'air, accompagné du rire cristallin d'un tout petit enfant.

Les yeux écarquillés, Boustru comprit que le violoniste, c'était son papa ! Et l'enfant sur les genoux de sa maman, c'était lui, quand il avait deux ans !

–Comme je riais alors, comme j'étais heureux… murmura Boustru pendant qu'un épais brouillard envahissait le salon.

Lorsque le rideau de brume se dissipa, Boustru s'aperçut que deux années avaient passé comme un éclair. Le grand sapin était encore là, mais son papa et sa maman avaient disparu. Disparu pour toujours, sur leur bateau perdu dans la tempête.

Pour consoler le petit garçon, le majordome joua maladroitement un air de violon, la femme de chambre le prit dans ses bras et la cuisinière lui offrit un gros bonhomme de pain d'épice.
–NON ! cria le garçon. JE DÉTESTE NOËL !

Dans sa cachette derrière le mur, Boustru sentit une larme rouler sur sa joue. Il aurait tellement voulu consoler le petit enfant qu'il avait été…

–Dong, dong, dong! sonna encore la grande horloge.
–Voici la magie des Noëls présents, annonça le souriceau.

Boustru eut alors la surprise d'apercevoir la cabane des enfants abandonnés. Assis autour d'un maigre feu de fagots, Loupiotte et ses amis faisaient griller des marrons en chantant.

Leur cabane était décorée de feuilles de houx et de tout ce qu'ils avaient pu trouver pour lui donner un air de fête. Mais leur pauvre festin faisait peine à voir, tout comme les haillons dont ils étaient vêtus.

Regardant vers le manoir, un des garçons dit:
–Ce détestable Boustru n'a même pas ouvert sa porte lorsque nous sommes allés chanter chez lui.
–Il aurait pu partager ses provisions avec nous, ajouta une fillette. Ou bien ses jouets… Il ne joue avec personne, il ne partage jamais rien!

D'une voix très douce, Loupiotte expliqua aux petits qu'il fallait cesser de parler ainsi. Elle leur dit que Boustru était sans famille, tout comme eux, et qu'il était sûrement très malheureux. Dans son manoir tout noir, il était seul, alors qu'eux avaient le bonheur d'être ensemble.

Avec des étoiles dans les yeux, elle ajouta :
– Joyeux Noël, mes loupiots ! Joyeux Noël, petit orphelin du manoir !

–Dong, dong, dong! résonna la grande horloge.
–Voici la magie des Noëls futurs, ajouta le souriceau.

Boustru mit du temps à s'habituer à l'obscurité qui régnait maintenant dans le manoir. À la lueur d'une seule bougie, un grand jeune homme, vêtu d'une chemise de nuit trop petite pour lui, comptait et recomptait ses vieux jouets.

–J'ai bien fait, marmonnait-il, de congédier la femme de chambre, le majordome et la cuisinière. Je n'ai pas besoin d'eux. Je n'ai besoin de personne... de personne...

Le brouillard envahit de nouveau le salon, puis s'insinua dans l'âme de Boustru.

Dans la cabane des enfants abandonnés, nulle guirlande de houx, aucun feu de bois où faire grésiller des marrons.

Loupiotte grelottait de fièvre, allongée sur un lit de paille. Ses amis l'entouraient, essayant tant bien que mal de la réchauffer.
– Si, au moins, nous avions du bois pour faire du feu… murmura l'un d'eux.
– Et de la nourriture pour lui donner des forces… Nous n'avons rien pour l'aider à guérir.

– NON ! cria Boustru alors que la brume revenait déjà. NON ! Je ne veux pas que l'avenir soit ainsi !

–Dong, dong, dong! tintèrent les trois derniers coups de minuit. Boustru ouvrit ses yeux brouillés de larmes pour s'apercevoir... qu'il était de retour dans son lit. Il avait repris sa taille normale et c'était la nuit de Noël!

Bondissant sur ses pieds, il dévala les escaliers et fonça vers le salon. La femme de chambre, le majordome et la cuisinière ouvrirent de grands yeux en l'apercevant.

–C'est la fête! dit joyeusement Boustru. Qu'on installe les décorations et qu'on prépare le festin! C'est Noël!

Et vite, vite, Boustru enfila son manteau et courut vers la cabane des enfants abandonnés.

*Dans le manoir rempli de lumière,
la magie de Noël déployait enfin ses
ailes. Autour d'une table couverte
de friandises, le majordome, la femme
de chambre, la cuisinière et tous les
enfants chantaient, de larges sourires
illuminant leurs mines réjouies.*

*–Quel merveilleux réveillon ! s'exclama
Loupiotte entre deux bouchées.
–C'est grâce à toi, répondit Boustru,
le cœur rempli d'émotion.
Grâce à vous tous, mes amis…*

… mes amis pour toujours !

Joyeux Noël, petite souris !
Joyeux Noël, les enfants !